ALICE CARON LAMBERT

SAVEURS ✿ SENTEURS ✿ COULEURS

SALADES, LÉGUMES ET ASSAISONNEMENTS
AVEC DES FLEURS

PHOTOGRAPHIES DE JACQUES BOULAY
STYLISME DE COOKY DEBIDOUR

DIRECTEUR DE COLLECTION
YVES LE FLOC'H SOYE

SOLAR

RESPONSABLE ÉDITORIALE : CORINNE CÉSANO
ASSISTANT D'ÉDITION : SERGE GRAS

DIRECTION ARTISTIQUE ET RÉALISATION
GUYLAINE & CHRISTOPHE MOI

PHOTOGRAVURE : QUAT'COUL, TOULOUSE

© ÉDITIONS SOLAR, 2002
ISBN 2-263-03139-1
CODE ÉDITEUR S03139
DÉPÔT LÉGAL : FÉVRIER 2002
IMPRIMÉ EN FRANCE PAR POLLINA - 85400 LUÇON - N°L 83017

sommaire

avant

propos

Ce livre vous ouvre la porte du jardin et vous donne l'occasion de renouer d'une manière délicieuse avec la poésie de ce que la nature compte de plus beau et de plus sensuel : les fleurs…

Par leurs formes délicates, leurs couleurs éclatantes, leurs subtiles ou entêtantes senteurs, elles vous séduisent déjà. Or, les fleurs, pour bon nombre d'entre elles, sont aussi un monde de saveurs, un univers gourmand qui ne cesse d'enrichir le répertoire gastronomique. Cependant, il ne faut pas croire que cette cuisine soit réservée aux grands chefs : elle est simple et parfaitement naturelle.

Héritée de traditions ancestrales d'ici ou d'ailleurs, ou née de fantaisies gourmandes inédites, la cuisine avec les fleurs est un enchantement, un raffinement inégalable à la portée de tous. Elle conjugue tous les plaisirs, celui des yeux, celui du nez et celui du palais ; diététique, elle permet de profiter, dans un festival de couleurs et d'arômes, des vertus bienfaisantes des fleurs reconnues depuis longtemps.

Chaque ouvrage de la collection vous propose une sélection de fleurs comestibles à partir desquelles sont élaborées des recettes originales, qui raviront vos convives et feront de votre table le plus beau et le plus savoureux des bouquets.

Alice

AVERTISSEMENT AU LECTEUR Toutes les fleurs ne sont pas comestibles. Vous trouverez page 62 la liste des espèces à proscrire de vos préparations culinaires. D'autre part, ne consommez jamais des fleurs vendues chez les fleuristes (l'eau des vases contient très souvent des conservateurs nocifs pour la santé). Préférez-leur les fleurs des champs, celles de votre jardin, de vos jardinières ou de vos pots, celles que vous trouverez dans des barquettes sous vide au rayon des produits frais au supermarché, ou encore celles vendues en jardinerie – dans ce cas, il faudra attendre sept jours avant de les consommer ; en effet, des engrais ou insecticides ont pu être utilisés, et la rémanence des engrais dure sept jours au moins.

portraits

de fleurs

Quelles fleurs comestibles choisir pour ajouter des saveurs inédites à une salade ou à des pâtes, relever un plat de légumes, aromatiser sauces et vinaigrettes ? Vous allez le découvrir grâce à ces portraits de fleurs. Vous y trouverez, pour chaque plante utilisée dans les recettes que nous vous proposons, ses noms botanique et familier, la description de sa fleur, son époque de floraison, son parfum et sa saveur, ses bienfaits et la meilleure façon de la cuisiner.

NOM BOTANIQUE
Achillea millefolium

Achillée millefeuille

FLEUR minuscules fleurs,
de blanc à rouge cerise

FLORAISON de juin à septembre

PARFUM ET SAVEUR les feuilles et les capitules de fleurs ont un parfum aromatique lorsqu'on les froisse ; saveur amère

BIENFAITS la plante est connue pour ses propriétés cicatrisantes et tonifiantes. Elle calme les crampes et les spasmes, arrête les hémorragies, stimule la vésicule biliaire

❀ EN CUISINE toutes les variétés d'achillée sont comestibles. Détachées, les fleurs peuvent être dispersées dans les salades, les plats de légumes et de viande, les omelettes…

NOM BOTANIQUE
Anthemis cupaniana

Anthémis

FLEUR en forme de marguerite, blanche, jaune, rose…

FLORAISON de juin à août

PARFUM ET SAVEUR senteur proche de celle de la camomille, peu de saveur

BIENFAITS elle calme les spasmes, régule la menstruation. Une de ses variétés, *A. tintoria*, donne une huile essentielle qui soigne les maux d'oreille

❀ EN CUISINE les pétales et les étamines peuvent être utilisés dans les salades ou associés à d'autres fleurs pour aromatiser sauces et vinaigrettes

NOM BOTANIQUE
Begonia gracilis

Bégonia

FLEUR blanche, rose ou rouge

FLORAISON été et automne

PARFUM ET SAVEUR pas de parfum, mais une saveur piquante, acidulée, rafraîchissante

BIENFAITS pas de bienfaits connus

❀ EN CUISINE fleurs, feuilles et tiges sont comestibles. On peut les préparer en beignets, les faire revenir au beurre, les mélanger à des légumes, les cuire à la vapeur. Les pétales frais émincés aromatisent les sauces, comme la mayonnaise

NOM BOTANIQUE
Begonia x tuberhybrida
Madame 'Heathey'

Bégonia tubéreux

FLEUR en forme de rose, dans des teintes de blanc, rose, rouge, jaune, parfois bicolore

FLORAISON de juin à septembre

PARFUM ET SAVEUR pas de parfum ; saveur acidulée, légèrement piquante

BIENFAITS aucune propriété particulière

❀ EN CUISINE cuite à la vapeur, en beignet ou dans une soupe, ou crue, coupée en lamelles, pour agrémenter les salades et les sauces (idéale dans une sauce au fromage blanc en accompagnement de légumes crus)

NOM BOTANIQUE
Brassica nigra

Moutarde noire

FLEUR jaune à quatre pétales, en bouquet

FLORAISON été

PARFUM ET SAVEUR odeur de chou, saveur poivrée douce

BIENFAITS les graines activent la circulation du sang ; en cataplasme sur la poitrine, elles décongestionnent les bronches ; sur les articulations, elles soulagent les rhumatismes et les engelures. Les feuilles et les fleurs sont bienfaisantes pour l'estomac et la vessie

❀ EN CUISINE les fleurs fraîches, hachées, aromatisent huîtres, terrines de viande, farces aux herbes, vinaigrettes, salades et légumes. Elles se conservent longtemps

NOM BOTANIQUE
Calendula officinalis

Souci

FLEUR capitule orange ou jaune, pétales doubles

FLORAISON de mai à l'automne

PARFUM ET SAVEUR sucrés et légèrement amers

BIENFAITS il apaise les douleurs d'estomac et stimule le foie ; antiseptique et antifongique

❀ EN CUISINE les pétales frais ou séchés du souci, autrefois surnommé « herbe de toutes les soupes », agrémentent omelettes, salades vertes, légumes et sauces. Les fleurs entières parfument les soupes (couper le pédoncule, plus amer) et l'eau de cuisson du riz, qu'elles colorent. Les boutons floraux se conservent confits dans le vinaigre

NOM BOTANIQUE
*Cardamine trifoliata,
C. pratensis*

Cardamine des prés, cresson des prés

FLEUR simple ou double, rose ou lilas, en bouquet

FLORAISON printemps

PARFUM ET SAVEUR feuilles au goût piquant et amer de cresson de fontaine

BIENFAITS les sommités florales ouvrent l'appétit, facilitent la digestion et calment la toux ; les feuilles sont riches en fer et minéraux

❀ EN CUISINE les fleurs fraîches, débarrassées de leur calice amer, aromatisent les salades ou les sauces salées. Fleurs et feuilles peuvent être utilisées dans une soupe

NOM BOTANIQUE
Chrysanthemum
(multiples variétés)

Chrysanthème

FLEUR grosse tête en forme de marguerite ou de pompon multiples coloris

FLORAISON été et automne

PARFUM ET SAVEUR les notes balsamiques, de carotte, de moutarde noire, de fumée et de miel dominent

BIENFAITS en Chine, les fleurs de *C. indicum* entraient autrefois dans la composition d'un élixir d'immortalité

❋ EN CUISINE les pétales des gros chrysanthèmes des fleuristes sont plus indiqués pour les soupes, comme ceux de *C. brasier* (bordeaux à revers or), à la saveur de viande fumée. Les fleurs peuvent être préparées en beignets ; les pétales conviennent aux salades, sauces au fromage blanc, légumes, vinaigrettes

NOM BOTANIQUE
Cucurbita pepo

Courgette

FLEUR corolle d'un beau jaune d'or ; à cueillir dès qu'elle s'ouvre, car elle se fane avant midi

FLORAISON fin du printemps et été

PARFUM ET SAVEUR doux ; saveur de courgette sucrée

BIENFAITS les mêmes que le fruit, la courgette, qui contient des sels minéraux et des vitamines A, B, C, PP

❋ EN CUISINE en beignet, farcie, gratinée avec du parmesan, elle se prépare frite, à la vapeur, hachée dans une pâte à pain, ou agrémente des légumes ou du riz

NOM BOTANIQUE
Cytisus scoparius

Genêt à balai

FLEUR de 2 cm de long, jaune intense, mais divers coloris pour les variétés cultivées

FLORAISON mai - juin

PARFUM ET SAVEUR senteur de miel, saveur de pois et de miel

BIENFAITS aucune en particulier ; ne pas confondre avec le genêt d'Espagne qui est un buisson épineux toxique

❋ EN CUISINE les boutons floraux se conservent au vinaigre et se consomment comme des câpres. Les fleurs agrémentent les salades vertes ou de légumes, les sauces vinaigrette ou à base de fromage blanc. Elles peuvent être cuites en gratin avec d'autres légumes ou enrichir omelettes et œufs brouillés

NOM BOTANIQUE
Daucus carota

Carotte sauvage

FLEUR ombelle de petites fleurs blanc crème, pourpres au centre

FLORAISON printemps et été

PARFUM ET SAVEUR de carotte

BIENFAITS en infusion, feuilles et fleurs sont un diurétique et un antiseptique des voies urinaires

❀ EN CUISINE on obtient des boissons parfumées en faisant macérer des ombelles et quelques feuilles dans de l'eau, de l'alcool ou du sirop. Les fleurs peuvent également agrémenter une salade de carottes cuites au cumin, les salades vertes, les vinaigrettes, et les infusions

NOM BOTANIQUE
Dianthus caryophyllus

Œillet des fleuristes

FLEUR double, différents coloris selon les cultivars

FLORAISON juillet

PARFUM ET SAVEUR doux, évoquant le clou de girofle

BIENFAITS le vin d'œillet est tonique et énergisant

❀ EN CUISINE les pétales parfument le sucre, le beurre (par simple contact), le café (les mélanger aux grains moulus), les liqueurs, les sirops, les crèmes, les glaces, les infusions, les salades de fruits, les semoules… Cristallisés, ils décorent entremets et gâteaux

NOM BOTANIQUE
Foeniculum vulgare

Fenouil

FLEUR ombelle de fleurs minuscules jaune d'or

FLORAISON juillet et août

PARFUM ET SAVEUR anisés, sucrés ; assez prononcés

BIENFAITS la plante est digestive et stimule le foie ; l'huile essentielle appliquée en massage tonifie les muscles

❀ EN CUISINE les ombelles agrémentent poissons et farces, légumes, tisanes, apéritifs, liqueurs et entremets. Avec les tiges, elles constituent un lit de cuisson aromatique pour les poissons au four. Fleurs et graines parfument pains et pâtisseries, compotes, currys et marinades

NOM BOTANIQUE
Helianthus annuus

Tournesol

FLEUR capitule en forme de soleil à pétales jaune d'or et cœur marron ou noir

FLORAISON été

PARFUM ET SAVEUR les fleurs ont un parfum miellé ; le pédoncule, les boutons et les pétales ont un goût d'artichaut

BIENFAITS les graines sont diurétiques et expectorantes ; elles combattent les maladies infectieuses de l'intestin et soulagent les inflammations du foie

❀ EN CUISINE les fleurs peuvent être cuites avec des légumes, frites ou revenues à l'huile. Les boutons floraux se préparent à la vapeur, en gratin. Les pétales hachés parfument les farces, les purées, les salades

NOM BOTANIQUE
Magnolia stellata

Magnolia étoilé

FLEUR en forme d'étoile, blanche, très odorante

FLORAISON mars et avril

PARFUM ET SAVEUR évoquant le jasmin, le miel, la tulipe

BIENFAITS aucune propriété particulière

❀ EN CUISINE on peut faire infuser des pétales frais dans le lait destiné à une crème, les cristalliser au sucre pour décorer glaces et gâteaux ou, encore, les émincer pour parfumer des pâtes

NOM BOTANIQUE
Malva sylvestris

Mauve

FLEUR corolle rose striée, à cinq pétales

FLORAISON juin à août

PARFUM ET SAVEUR légèrement musqués

BIENFAITS en infusion, feuilles et fleurs sont émollientes, sédatives et laxatives ; elles calment la toux

❀ EN CUISINE fleurs et feuilles agrémentent les salades, les soupes de légumes, les sauces au fromage blanc, les fromages de chèvre, certains entremets à base de lait dans lequel elles ont infusé

NOM BOTANIQUE
Origanum vulgare

Origan

FLEUR rouge clair
FLORAISON été

PARFUM ET SAVEUR parfum poivré, chaleureux, feuilles évoquant le thym ; saveur piquante, épicée

BIENFAITS les feuilles en infusion sont tonifiantes ; elles calment la toux, les spasmes nerveux, les maux de tête… Les cataplasmes de feuilles soulagent les torticolis, les douleurs et les inflammations

❀ EN CUISINE fleurs et feuilles, fraîches ou séchées, parfument les pizzas, mais aussi les farces, les vinaigrettes, les gratins, les grillades, les salades, les ragoûts de viande ou de légumes

NOM BOTANIQUE
Narcissus Jonquilla L.

Jonquille trompette

FLEUR tubulaire évasée, jaune vif

FLORAISON mars-avril

PARFUM ET SAVEUR senteur suave et pénétrante proche de celle de la fleur d'oranger ; saveur sucrée et parfumée

BIENFAITS les fleurs cultivées sont tonicardiaques ; tiges, feuilles et bulbe contiennent des alcaloïdes et sont donc toxiques

❀ EN CUISINE la fleur se consomme (avec modération) cuite en confit, ajoutée à une soupe, macérée dans l'alcool ou cristallisée

NOM BOTANIQUE
Paeonia (multiples variétés)

Pivoine

FLEUR simple ou double ;
nombreux coloris

FLORAISON fin du printemps

PARFUM ET SAVEUR certaines variétés sont très parfumées comme *P. lactiflora*. *P. lutea* possède un parfum de lys et une saveur un peu poivrée. Les autres pivoines ont souvent une saveur délicate, légèrement miellée

BIENFAITS les racines séchées de *P. lactiflora* renforcent l'immunité, réduisent la pression sanguine, apaisent les douleurs et les spasmes, diminuent les inflammations

❀ EN CUISINE les pétales peuvent se faire en salade, en beignets, constituer un lit aromatique pour les poissons

NOM BOTANIQUE
Phlox (multiples variétés)

Phlox

FLEUR grappe de fleurs,
assez dense ; coloris variés

FLORAISON d'avril à septembre

PARFUM ET SAVEUR léger parfum de miel, saveur délicatement sucrée

BIENFAITS aucune propriété particulière

❀ EN CUISINE les fleurs s'utilisent dans les salades vertes ou composées, de chou cru, de carottes râpées ou de céleri, les sauces, crèmes salées, moutardes et vinaigrettes

NOM BOTANIQUE
Portulaca oleracea

Pourpier

FLEUR en corolle, différents
coloris

FLORAISON mi-été

PARFUM ET SAVEUR aucun parfum, mais une saveur acidulée et rafraîchissante

BIENFAITS la plante est riche en fer et en vitamine C. Elle figure dans la pharmacopée chinoise, car elle traite les diarrhées, les infections de l'appareil urinaire et la fièvre

❀ EN CUISINE toute la plante peut être confite dans le vinaigre. Tiges et feuilles s'ajoutent aux salades ou parfument les soupes

NOM BOTANIQUE
Primula acaulis

Primevère acaule

FLEUR simple ; coloris variés

FLORAISON de mars à mai,
novembre jusqu'aux gelées

PARFUM ET SAVEUR de miel

BIENFAITS feuilles et fleurs éliminent les toxines du sang.
La tisane de fleurs est sédative et apaise les maux de tête

❀ EN CUISINE elle s'utilise dans les soupes, confitures,
salades, vinaigrettes ; les pétales ou les fleurs entières peuvent
être cristallisés au sucre pour décorer les pâtisseries

NOM BOTANIQUE
Rosa (multiples variétés)

Rose

FLEUR simple ou double,
à pétales bien turbinés autour
d'un bouton central ; multiples
coloris

FLORAISON de mai aux gelées

PARFUM ET SAVEUR floraux, fruités, épicés, balsamiques,
de sous-bois, de vétiver, de poudre de riz, de pomme verte

BIENFAITS action astringente et rajeunissante sur la peau ; les
bourgeons stimulent la glande surrénale

❀ EN CUISINE les pétales agrémentent les salades. L'eau, le
sirop et l'essence de rose aromatisent entremets, pâtisseries,
confiseries, confitures, glaces et boissons

NOM BOTANIQUE
Taraxacum dens-leonis

Pissenlit,
dent-de-lion

FLEUR capitule jaune vif
en forme de soleil

FLORAISON du printemps
à l'automne

PARFUM ET SAVEUR senteur de miel, saveur sucrée, amère

BIENFAITS les feuilles contiennent des vitamines A et C, et des
minéraux ; elles favorisent la digestion et l'élimination des toxines du sang. L'ensemble de la plante est diurétique, d'où son
nom populaire de pissenlit

❀ EN CUISINE les feuilles se cuisinent en salade, sautées ou
cuites comme des épinards. Les boutons floraux agrémentent
omelettes, légumes cuits, salades et vinaigrettes. Les pétales
parfument salades vertes et légumes

NOM BOTANIQUE
Satureja montana

Sarriette

FLEUR inflorescence de fleurs
minuscules blanc rosé

FLORAISON été

PARFUM ET SAVEUR prononcés, épicés, poivrés

BIENFAITS propriétés antiseptiques, antispasmodiques,stimu-
lantes et digestives. La sarriette est réputée aphrodisiaque

❀ EN CUISINE elle aromatise les terrines, le lapin, les char-
cuteries (en particulier le salami), les farces de poisson, les
légumes provençaux, les grillades, les fromages de chèvre. Elle
peut parfumer vinaigres et huiles, mais c'est surtout avec les
légumes secs qu'elle est mise en valeur

NOM BOTANIQUE
Thymus vulgaris

Thym

FLEUR en épi, rose pourpré
FLORAISON été

PARFUM ET SAVEUR riche arôme balsamique ; saveur épicée

BIENFAITS le thym facilite la digestion des corps gras ; antiseptique intestinal, pulmonaire et génito-urinaire reconnu, stimulant général. L'huile essentielle est utilisée pour lutter contre la grippe, les rhumes, les refroidissements, la fatigue

❀ EN CUISINE le thym est l'un des éléments qui composent le bouquet garni. Il s'utilise frais ou séché avec les grillades, les terrines de viande, les poissons au four, les légumes méditerranéens…

NOM BOTANIQUE
Tulipa (multiples variétés)

Tulipe

FLEUR en forme de gobelet à six pétales au bout d'une tige raide ; multiples coloris
FLORAISON février à mai

PARFUM ET SAVEUR parfums variés (mais toutes les variétés ne sont pas odoriférantes) ; saveur légèrement fumée chez certaines variétés

BIENFAITS aucun en particulier, mais le bulbe est nutritif

❀ EN CUISINE elle peut être farcie ou frite sous forme de beignets ; les pétales coupés en lamelles aromatisent les légumes, les salades, les rôtis ; disposés sur une pâte feuilletée à cuire à blanc, ils la parfument délicatement

NOM BOTANIQUE
Viola odorata

Violette odorante

FLEUR violette, très parfumée
FLORAISON mars

PARFUM ET SAVEUR parfum délicieux, légèrement âcre ; saveur douce

BIENFAITS la violette réduit les inflammations des muqueuses (catarrhes), tonifie les vaisseaux sanguins et renforce l'immunité. Le sirop de fleurs est antiseptique ; celui de fleurs et feuilles combat la toux, les maux de tête et les insomnies

❀ EN CUISINE fraîches ou séchées, les fleurs parfument glaces, entremets, sirops, gelées, tisanes. Fraîches, elles agrémentent salades et farces ; confites, elles aromatisent laitages et sucre

À la recherche du jour

Je vais

Au fil des heures, sans détours

Découvrant les fleurs

Je suis

Nulle nuit, des sourires, de la douceur

Alice Caron Lambert

carnet

des délices

À l'instar des cuisiniers asiatiques et de certains occidentaux créatifs, découvrez ici les nuances aromatiques des fleurs, entières, en boutons, ou simplement de quelques pétales aux couleurs et saveurs chaudes. Rendez ainsi plus savoureuses encore toutes vos salades et préparations de légumes crus ou cuits. Relevez enfin vos sauces, vertes ou blanches, au yaourt ou au fromage blanc, une béchamel pour un gratin, une mousse, un soufflé, une tourte, pour votre plaisir et celui de vos convives.

Salade estivale au phlox

Pour 6 personnes 🌻 Préparation : 20 mn

1 inflorescence de phlox, 2 jonquilles trompette (*voir* PORTRAITS DE FLEURS *pp. 13,12*) 🌸
1 botte de radis 🌸 2 tomates 🌸 150 g de mesclun avec roquette 🌸 50 g de roquefort
🌸 1 petit oignon blanc 🌸 3 branches de persil plat 🌸 2 pincées de curry en poudre
🌸 3 cuillerées à soupe d'huile de maïs 🌸 2 cuillerées à soupe de vinaigre de vin 🌸
1 cuillerée à café de moutarde à l'ancienne 🌸 Sel, poivre

LAVEZ LES FLEURS, le mesclun, le persil et les radis ; épongez-les.

ÉQUEUTEZ LES RADIS, parez-les et détaillez-les en rondelles. Ébouillantez les
tomates, pelez-les et coupez-les en quartiers. Pelez l'oignon et émincez-le.

HACHEZ LE PERSIL. Détachez les fleurs de phlox. Ciselez les jonquilles.

DANS UN SALADIER, MÉLANGEZ le mesclun, le tiers des fleurs, les radis et les
tomates. Répartissez dessus le roquefort coupé en petits morceaux.

PRÉPAREZ LA VINAIGRETTE : dans un bol, mélangez la moutarde, du sel, du
poivre, le vinaigre, l'oignon, le persil, le reste des fleurs de phlox et le curry.
Versez l'huile et émulsionnez à la fourchette. Versez la sauce sur la salade et
mélangez au moment de servir. Ponctuez éventuellement le décor de quelques
fleurs de bourrache.

L'espèce phlox comprend 66 variétés rustiques ou semi-rustiques, vivaces ou annuelles, herbacées ou arbustives.
Toutes sont originaires des États-Unis (Texas, Californie, Oregon) et du Mexique.

NID FRAIS AU GENÊT

Pour 6 personnes ❦ Préparation 15 mn ❦ Cuisson : 15 à 20 mn

2 grappes de fleurs de genêt, 4 fleurs de pissenlit (*voir* PORTRAITS DE FLEURS *pp. 10, 14*) ❦ **150 g de noix de saint-jacques sans corail** ❦ **8 grosses crevettes roses décortiquées** ❦ **1 botte de cresson** ❦ **7 feuilles de brick** ❦ **1 bouquet de coriandre** ❦ **1 bouquet de persil plat** ❦ **1 œuf dur** ❦ **2 gousses d'ail** ❦ **1 pomme verte** ❦ **1 oignon blanc** ❦ **Le jus de 1 citron** ❦ **7 cuillerées à soupe d'huile d'olive** ❦ **1 cuillerée à soupe de vinaigre de framboise** ❦ **Sel, poivre**

LAVEZ LES fleurs de genêt et de pissenlit, et détachez-les. Réservez quelques fleurs. Lavez le persil et la coriandre ; hachez-les. Pelez l'oignon et l'ail ; émincez-les. Préchauffez le four à 200 °C.

DANS UN BOL, MÉLANGEZ 5 cuillerées à soupe d'huile d'olive, le jus de citron, le persil, la coriandre, l'ail, l'oignon, le sel, le poivre, les saint-jacques et les crevettes.

DISPOSEZ QUATRE FEUILLES de brick dans un moule. Égouttez les crevettes et les saint-jacques, et répartissez-les dessus. Couvrez avec les feuilles de brick restantes. Soudez les bords. Faites cuire au four 15 à 20 minutes. Préparez, lavez et essorez le cresson. Versez-le dans un saladier et ajoutez les fleurs. Pelez la pomme et émincez-la ; mélangez à la salade. Séparez le blanc et le jaune de l'œuf dur et écrasez-les.

PRÉPAREZ LA VINAIGRETTE : dans un bol, émulsionnez le vinaigre de framboise et 2 cuillerées à soupe d'huile d'olive. Ajoutez le blanc d'œuf. Salez et poivrez. Versez sur la salade et mélangez.

SORTEZ LE NID DU FOUR, posez-le sur un plat et entourez-le de salade. Décorez avec les fleurs réservées, dispersez le jaune d'œuf écrasé sur la salade.

CARDAMINETTE

Pour 6 personnes ❦ Préparation : 20 mn ❦

10 fleurs de cardamine des prés (*voir* PORTRAITS DE FLEURS *p. 9*) ❈ **1 cuillerée à café de graines de moutarde noire** ❈ **1 courgette** ❈ **1 carotte** ❈ **100 g de jeunes feuilles d'épinards** ❈ **4 petites pommes de terre nouvelles cuites avec la peau** ❈ **100 g de haricots secs cuits** ❈ **Quelques feuilles de frisée** ❈ **4 champignons de Paris** ❈ **125 g de fromage blanc** ❈ **Le jus de 1 citron** ❈ **1 pincée de fenouil en poudre** ❈ **1 pincée de céleri en poudre** ❈ **Sel**

LAVEZ LES FLEURS et épongez-les dans du papier absorbant. Pelez la courgette et détaillez-la en fines rondelles. Pelez et râpez la carotte.

ÉQUEUTEZ, LAVEZ ET ESSOREZ les épinards. Lavez et essorez la frisée, coupez-la en morceaux.

ENLEVEZ LE BOUT TERREUX des champignons, rincez-les rapidement, épongez-les et coupez-les en lamelles. Coupez les pommes de terre en deux dans le sens de la longueur.

DANS UN PLAT, disposez joliment la courgette, la carotte, les épinards, la frisée, les haricots, les pommes de terre et les champignons. Répartissez dessus la moitié des fleurs.

DANS UN BOL, mélangez le fromage blanc, le jus de citron, les graines de moutarde, du sel, le fenouil et le céleri en poudre. Ajoutez le reste des fleurs. Servez en saucière, avec la salade.

Salade de mai

Pour 6 personnes ❦ Préparation : 35 mn ❦ Cuisson : 20-22 mn

1 fleur de pivoine *(Paeonia lactiflora)* (*voir* Portraits de fleurs *p. 13*) ❀ **6 filets de sole** ❀ **3 œufs** ❀ **125 g de pointes d'asperges blanches cuites** ❀ **125 g de pointes d'asperges vertes cuites** ❀ **1 bouquet de persil plat** ❀ **3 pieds de chicorée rouge** ❀ **1 bouquet de ciboulette** ❀ **1 oignon blanc** ❀ **50 g de beurre** ❀ **125 g de crème fraîche allégée** ❀ **2 cuillerées à soupe de vinaigre de cidre** ❀ **2 cuillerées à soupe de vinaigre balsamique** ❀ **Sel, poivre gris**

Lavez la fleur, détachez tous les pétales et épongez-les. Nettoyez et lavez la chicorée.

Faites cuire 5 minutes les filets de sole à la vapeur.

Faites durcir les œufs à l'eau bouillante salée ; passez-les sous l'eau froide et écalez-les. Coupez-les en deux dans le sens de la longueur, retirez les jaunes et écrasez-les.

Lavez et hachez le persil et la ciboulette. Pelez et émincez l'oignon.

En mai fais ce qu'il te plaît.
Couds des fleurs sur ta chemise d'été
En toute liberté.
Plante des étoiles d'or dans ton jardin
Et oublie tout ce qui te déplaît

Faites fondre le beurre dans une poêle et mettez-y à revenir doucement les chicorées et l'oignon, pendant 8 minutes.

Mélangez les pointes d'asperges, les deux tiers des pétales de pivoine, les filets de sole coupés en petits morceaux et le vinaigre de cidre. Disposez sur un plat de service.

Mélangez les jaunes d'œufs écrasés, le persil, la ciboulette et quelques pétales de pivoine hachés. Farcissez les blancs d'œufs de cette préparation. Disposez les chicorées refroidies et les œufs farcis sur le plat de service. Décorez avec quelques pétales de pivoine.

Faites tiédir la crème fraîche. Ajoutez le vinaigre balsamique, salez et poivrez. Servez avec la salade.

Salade des rives d'El-Harouat

Pour 6 personnes ❦ Préparation : 25 mn ❦ Cuisson : 12 à 15 mn

50 g de pourpier en fleur (*voir* Portraits de fleurs *p. 13*) ❦ **1 kg de haricots verts très fins** ❦ **2 brins de persil plat** ❦ **10 cacahuètes grillées et salées** ❦ **1 cuillerée à café de graines de fénugrec** ❦ **Le jus de 1 citron** ❦ **1 cuillerée à soupe d'huile d'arachide** ❦ **Sel, poivre noir**

Lavez le pourpier, le persil et les haricots verts. Hachez le persil.

Équeutez les haricots verts et faites-les cuire 12 à 15 minutes à l'eau bouillante salée ; égouttez-les et laissez-les refroidir.

Mixez les cacahuètes avec les graines de fénugrec.

Dans un bol, mélangez l'huile et le jus de citron. Ajoutez la mouture de cacahuète et de fénugrec, le persil, du sel et du poivre.

Dans un saladier, mélangez le pourpier, les haricots verts et la sauce. Servez rapidement.

MESCLUN AUX FLEURS DE BÉGONIA

Pour 4 personnes ❦ Préparation : 15 mn

6 fleurs de bégonia tubéreux (*voir* PORTRAITS DE FLEURS *p. 8*) ❋ **300 g de mesclun** ❋ **1 oignon blanc** ❋ **1 jaune d'œuf** ❋ **100 g de roquefort** ❋ **10 cl d'huile de maïs** ❋ **1/2 cuillerée à café de moutarde forte** ❋ **Quelques brins de persil plat** ❋ **1 petit bouquet de cerfeuil** ❋ **Sel, poivre**

LAVEZ, SÉCHEZ ET ÉMINCEZ les fleurs de bégonia (réservez-en deux pour la décoration). Lavez, puis hachez le persil et le cerfeuil. Pelez et émincez l'oignon. Lavez et essorez soigneusement le mesclun.

RÉALISEZ UNE SAUCE MAYONNAISE peu consistante : délayez le jaune d'œuf avec la moutarde, puis versez l'huile en filet en fouettant avec légèreté pour ne pas trop épaissir la sauce. Salez et poivrez.

JUSTE AVANT DE SERVIR, ajoutez le persil, le cerfeuil, l'oignon, les fleurs émincées à la mayonnaise et servez avec le mesclun. Décorez la salade avec les dernières fleurs réservées et le roquefort coupé en morceaux.

CHOU FARCI AU CHRYSANTHÈME

Pour 6 personnes ❦ Préparation : 30 mn ❦ Cuisson : 1 h 30

1 fleur de chrysanthème (*voir* PORTRAITS DE FLEURS *p. 10*) ❋ **1 chou vert** ❋ **300 g de farce fine pour tomates** ❋ **1 oignon** ❋ **2 ou 3 carottes** ❋ **5 cuillerées à soupe d'huile de tournesol** ❋ **2 clous de girofle** ❋ **Sel, poivre**

LAVEZ LA FLEUR, épongez-la et détachez les pétales. Mixez-les et mélangez-les à la farce de viande.

PELEZ L'OIGNON et hachez-le finement. Grattez les carottes, lavez-les et découpez-les en bâtonnets.

LAVEZ LE CHOU et faites-le blanchir 15 minutes, entier, dans l'eau bouillante salée.

REFROIDISSEZ LE CHOU sous l'eau, égouttez-le et découpez un chapeau à son sommet. Évidez-le et réservez les feuilles retirées en son centre. Remplissez-le de farce, remettez le chapeau et ficelez l'ensemble.

DANS UNE COCOTTE EN FONTE, chauffez 5 cuillerées à soupe d'huile. Faites-y revenir rapidement l'oignon, puis les carottes. Ajoutez les feuilles de chou réservées, les clous de girofle et posez dessus le chou farci. Salez, poivrez et mouillez avec 25 cl d'eau. Couvrez la cocotte et laissez cuire pendant une bonne heure à feu doux.

Bégonias aux légumes méditerranéens

Pour 6 personnes ✿ Préparation : 20 mn ✿ Cuisson : 30 à 35 mn

2 pieds en fleur de bégonia *(Begonia gracilis)*, **1 inflorescence de fenouil** (*voir* PORTRAITS DE FLEURS *pp. 8, 11*) ❀ **2 oignons** ❀ **2 carottes** ❀ **125 g de pois chiches cuits** ❀ **4 tomates** ❀ **1 poivron rouge** ❀ **3 courgettes** ❀ **Quelques brins de thym** ❀ **1 pincée de cumin en poudre** ❀ **1 pincée de cardamome en poudre** ❀ **2 clous de girofle** ❀ **1 cuillerée à café de grains de fénugrec** ❀ **3 cuillerées à soupe d'huile d'olive** ❀ **Sel, poivre**

PELEZ LES OIGNONS et émincez-les.

COUPEZ les racines des bégonias et éliminez les feuilles abîmées. Lavez les feuilles et les fleurs, ainsi que le fenouil, et épongez-les.

PELEZ les carottes et détaillez-les en bâtonnets. Ébouillantez les tomates, pelez-les, épépinez-les et coupez-les en dés. Ouvrez le poivron, éliminez les graines et émincez-le en lanières.

PELEZ les courgettes et coupez-les en dés.

CHAUFFEZ l'huile dans une cocotte ou une sauteuse. Faites-y revenir l'oignon, puis, successivement, le poivron, les carottes, les courgettes et les tomates. Ajoutez le thym, le fenouil, les clous de girofle, le cumin, la cardamome, le fénugrec, du sel et du poivre. Mélangez bien.

AJOUTEZ les bégonias et remuez. Mouillez avec 1 verre d'eau et faites cuire 13 à 15 minutes.

AJOUTEZ les pois chiches et faites cuire encore 7 minutes.

Le pois chiche *(Cicer arietinum),* de la famille des légumineuses, est une plante à gousse qui n'aime ni le froid ni l'humidité. Connue depuis très longtemps en Inde et en Égypte, elle fut adoptée par les Grecs, puis par les Romains, en raison de ses qualités gustatives et nutritives. Ses graines contiennent des protides, des lipides, des vitamines B, C et A, du fer, du calcium, du potassium, du zinc, du phosphore et des fibres. Les pois chiches entrent dans la préparation du couscous, mais ils se consomment aussi froids, en salade, ou réduits en purée, aromatisés de paprika, de fenouil, d'ail, de romarin…

GRATIN MONTAGNARD
AU FUMET DE TULIPE

Pour 6 personnes ❦ Préparation : 30 mn ❦ Cuisson : 20 mn

2 tulipes parfumées (*voir* PORTRAITS DE FLEURS *p. 15*) ❀ **1 fromage à pâte molle (vacherin ou maroilles)** ❀ **3 œufs** ❀ **180 g de lard coupé en fines tranches** ❀ **6 pommes de terre** ❀ **1 cube de concentré de légumes** ❀ **1 pincée de noix muscade** ❀ **Gros sel, sel fin, poivre**

LAVEZ LES TULIPES, détachez les pétales et coupez-les en lamelles.

FAITES CHAUFFER 25 cl d'eau ; hors du feu, ajoutez les pétales de tulipe et le concentré de légumes. Remuez et laissez macérer pendant 25 minutes.

PELEZ LES POMMES DE TERRE, lavez-les et coupez-les en fines rondelles. Répartissez dessus un peu de gros sel. Préchauffez le four à 240 °C.

TAPISSEZ LES PAROIS intérieures d'une terrine de tranches de lard. Coupez le fromage en deux dans le sens de l'épaisseur et écrasez-en une moitié au fond de la terrine. Recouvrez avec les pommes de terre.

BATTEZ LES ŒUFS en omelette. Filtrez le fumet de tulipe et versez sur les œufs. Salez, poivrez, ajoutez la noix muscade et remuez bien. Versez sur les pommes de terre.

RÉPARTISSEZ LE RESTE du fromage dans le moule et mettez au four 20 minutes.

À Paris, la mode des tulipes s'imposa en 1633. Les dames de l'aristocratie furent les premières à s'enticher de ces belles fleurs. Au lieu d'orner leurs coiffures ou leurs corsages de pierres précieuses, de perles ou de nacre, elles y fixaient une tulipe assortie à la couleur de leur toilette.

Poivrons soleil

Pour 6 personnes ❦ Préparation : 25 mn ❦ Cuisson : 35 mn

6 inflorescences de moutarde noire (*voir* Portraits de fleurs p. 9) ❀ **8 poivrons jaunes** ❀ **125 g de lardons fumés** ❀ **1 bouquet de coriandre** ❀ **3 gousses d'ail** ❀ **1 oignon** ❀ **Paprika** ❀ **Huile d'olive** ❀ **Poivre**

Lavez les fleurs de moutarde noire, épongez-les dans du papier absorbant et hachez-les grossièrement.

Rincez les poivrons, ouvrez-les en deux et retirez les graines. Disposez huit demi-poivrons dans un plat à four et émincez le reste. Préchauffez le four à 240 °C. Pelez l'oignon et l'ail ; émincez-les finement. Rincez, épongez et hachez la coriandre.

Dans une poêle, faites revenir rapidement les poivrons émincés dans un peu d'huile ; réservez-les. Procédez de même avec l'oignon. Réservez et mettez les lardons à revenir dans la poêle sans huile.

Mélangez-les avec les poivrons émincés, les fleurs de moutarde, l'oignon, l'ail et la coriandre. Saupoudrez de paprika. Poivrez. Farcissez les demi-poivrons avec cette préparation. Mettez au four 35 minutes (les poivrons doivent être légèrement dorés).

Le poivron – qui est un fruit – contient 80 à 90 % d'eau. Il est riche en vitamines et en sucre, et contient peu de lipides. Il doit son arôme à la capsicine, qui est un alcaloïde. On peut le manger cru ou cuit, confit à l'huile ou au vinaigre, ou encore séché. Il se congèle très bien. Les piments sont les petits frères du poivron.

BOUTONS DE TOURNESOL AU VERT

Pour 6 personnes ❦ Préparation : 10 mn ❦ Cuisson : 10 mn

20 boutons floraux de tournesol (*voir* PORTRAITS DE FLEURS *p.11*) ❀ **1 petit bouquet de cerfeuil** ❀ **1 petit bouquet de persil plat** ❀ **50 g de parmesan** ❀ **1 cuillerée à soupe d'huile de tournesol** ❀ **Sel**

DÉBARRASSEZ les boutons floraux de leur pédoncule, lavez-les et épongez-les.

FAITES-LES CUIRE à la vapeur ou dans de l'eau salée pendant 10 minutes environ.

LAVEZ ET HACHEZ le cerfeuil et le persil. Coupez le parmesan en copeaux.

ÉGOUTTEZ LES BOUTONS de tournesol et mettez-les dans un petit saladier. Parsemez le persil et le cerfeuil. Ajoutez l'huile et le parmesan, et mélangez. Servez cette préparation tiède. Pour obtenir un bel effet, vous pouvez présenter les boutons dans de grandes feuilles de tournesol et parsemer le tout de pétales.

Fabriqué en Italie depuis le XIᵉ siècle, le parmesan est originaire de la région de Parme (d'où son nom). Il contient 32 % de matières grasses. C'est une pâte cuite, pressée, à croûte brossée et graissée. Sa saveur est fruitée et piquante. On le consomme râpé sur les pâtes, en copeaux dans une salade ou sur des légumes, ou, en fin de repas, avec une fougasse, accompagné d'un vin corsé.

Taboulé vert et or

Pour 6 personnes ♥ Préparation : 30 mn

1 tasse de pétales de tournesol *(voir* PORTRAITS DE FLEURS *p. 11)* ❋ 100 g de boulghour
❋ 1 petit bouquet de persil plat ❋ 2 brins de coriandre ❋ 6 feuilles de menthe ❋ 4 petits
oignons blancs ❋ 1 gousse d'ail ❋ 2 tomates ❋ Le jus de 1 citron ❋ 1 cuillerée à soupe
d'huile d'olive ❋ Sel, poivre noir

VERSEZ LE BOULGHOUR dans une passoire et rincez-le. Faites chauffer 50 cl
d'eau.

POSEZ LA PASSOIRE au fond d'un récipient de taille adaptée et recouvrez le boulghour d'eau bouillante. Laissez gonfler pendant 20 minutes environ.

PENDANT CE TEMPS, ébouillantez les tomates, pelez-les, épépinez-les et coupez-les
en petits morceaux. Pelez les oignons et émincez-les. Pelez l'ail et écrasez-le.
Lavez le persil, la coriandre et la menthe, et hachez-les. Rincez les pétales de
tournesol et épongez-les. Mélangez tous ces ingrédients (réservez quelques
pétales pour la décoration).

ÉGOUTTEZ LE BOULGHOUR et pressez-le pour éliminer toute l'eau. Salez,
poivrez, versez l'huile d'olive et le jus de citron ; remuez. Ajoutez la préparation précédente et mélangez bien. Décorez le plat avec les pétales réservés et
conservez-le au frais jusqu'au moment de servir.

Au jardin, associez les courges à rayures, les tournesols au jaune éclatant, les rudbeckias au cœur noir, les
capucines orange et jaunes, les tomates vertes devenant rouge vif : outre qu'ils seront du plus bel effet, ils
s'aideront les uns les autres pour repousser les parasites.

RISOTTO À LA NANSOLA

Pour 6 personnes ❦ Préparation : 20 mn ❦ Cuisson : 18 mn

5 fleurs de courgette, avec leur petite courgette (*voir* Portraits de fleurs *p. 10*) ❀ **200 g de riz thaï parfumé** ❀ **125 g de girolles** ❀ **2 cuillerées à soupe de vinaigre balsamique** ❀ **1 capsule de filaments de safran ou 1 pincée de poudre** ❀ **4 cuillerées à soupe d'huile d'olive vierge extra** ❀ **10 olives vertes dénoyautées** ❀ **80 g de parmesan râpé** ❀ **Sel, poivre**

CHAUFFEZ 3 CUILLERÉES À SOUPE d'huile d'olive dans une cocotte. Faites-y revenir le riz jusqu'à ce qu'il soit translucide, puis mouillez avec 25 cl d'eau et le vinaigre. Salez, poivrez et laissez cuire 8 minutes, en remuant et en ajoutant de l'eau si nécessaire (le riz ne doit pas être mou). Ajoutez le safran et mélangez.

LAVEZ ET NETTOYEZ les girolles. Faites-les cuire 10 minutes à la poêle dans 1 cuillerée à soupe d'huile chaude. Salez et poivrez.

LAVEZ les fleurs et émincez-les.

MÉLANGEZ LE RIZ, les girolles, les fleurs et les olives. Disposez la préparation sur un plat de service, saupoudrez de parmesan et servez immédiatement.

La girolle (*Cantharella cibarius*), ou chanterelle, est le champignon des bois le plus vendu en France, après le cèpe de Bordeaux. Elle pousse sous les chênes ou les conifères. La plupart des girolles commercialisées proviennent des pays de l'Est, où elles sont abondantes, mais peu appréciées des autochtones.

Les courgettes donnent des fleurs mâles et femelles. Les fleurs femelles apparaissent à l'extrémité des petites courgettes, qui sont particulièrement délicieuses à ce stade.
Les fleurs mâles sont isolées, plus volumineuses et plus largement ouvertes.

BOULGHOUR DE SAPHO

Pour 6 personnes ❦ Préparation : 10 mn ❦ Cuisson : 6 mn

Les pétales et étamines de 15 anthémis, les pétales de 2 œillets des fleuristes, les pétales de 1 rose au parfum fruité, les pétales de 6 fleurs de pourpier, les pétales de 1 fleur d'achillée millefeuille rose (*voir* PORTRAITS DE FLEURS *pp. 8, 11, 14, 13, 8*) ✵ **350 g de boulghour cuit** ✵ **6 œufs de caille** ✵ **1 bouquet de persil plat** ✵ **1 bouquet de coriandre** ✵ **1 cuillerée à soupe d'huile de tournesol** ✵ **30 g de beurre salé** ✵ **Sel** ✵ **Fleurs pour la décoration**

LAVEZ LES PÉTALES, puis rincez le persil et la coriandre, et hachez-les finement.

FAITES DURCIR les œufs de caille dans de l'eau bouillante salée pendant 4 minutes.

FAITES FONDRE le beurre et mélangez-le au boulghour cuit.

CHAUFFEZ L'HUILE dans une poêle et faites-y cuire légèrement les pétales. Versez sur le boulghour, ajoutez le hachis d'herbes et mélangez. Goûtez, rectifiez éventuellement l'assaisonnement et dressez sur un plat de service.

ÉCALEZ LES ŒUFS et coupez-les en deux. Disposez-les joliment autour de la préparation et décorez avec quelques fleurs.

Sapho était une poétesse grecque, née à Lesbos (Mytilène), à la fin du VIIᵉ siècle avant l'ère chrétienne. Des neuf livres de poèmes qu'elle écrivit, il ne nous est parvenu que des fragments magnifiques exaltant, entre autres, les nuits fleuries d'étoiles, la grâce féminine et la beauté de l'univers.

« [...] Sa clarté sur la mer
salée se verse
Et sur les prés fleuris.
Et la rose sous la rosée,
Le fin cerfeuil s'épanouit
Et le mélilot parfumé [...] »
(extrait de *L'Absenthe*)

LENTILLES AUX FLEURS DE CAROTTE

Pour 6 personnes ❁ Préparation : 25 mn ❁ Cuisson : 35 mn

2 ombelles de carotte sauvage, quelques pétales de tournesol (*voir* PORTRAITS DE FLEURS *p. 11*) ❀ **150 g de lentilles vertes** ❀ **2 carottes** ❀ **1 cuillerée à café de cumin en poudre** ❀ **3 cuillerées à soupe d'huile d'olive** ❀ **1 cuillerée à soupe de vinaigre de vin** ❀ **1 cuillerée à café de moutarde forte** ❀ **2 brins de coriandre** ❀ **1 bouquet de persil plat** ❀ **1 feuille de laurier** ❀ **1 graine de cardamome** ❀ **Sel, poivre**

RINCEZ LES LENTILLES. Faites chauffer une casserole remplie d'eau avec du sel, du poivre, le laurier et la cardamome. Dés l'ébullition, versez les lentilles et faites cuire 35 minutes.

PELEZ LES CAROTTES, rincez-les et coupez-les en rondelles. Faites-les cuire dans de l'eau bouillante salée. Lavez les ombelles de carotte et épongez-les ; égrenez les petites fleurs. Rincez le persil et la coriandre ; hachez-les.

ÉGOUTTEZ LES LENTILLES (retirez le laurier et la cardamome) et les carottes. Mélangez-les dans un saladier.

DANS UN BOL, mélangez la moutarde, le vinaigre, l'huile, le cumin, du sel, du poivre et le hachis d'herbes.

VERSEZ LA SAUCE sur la salade et mélangez bien. Parsemez des petites fleurs de carotte et des pétales de tournesol.

Les lentilles sont un aliment complet et énergétique. Elles contiennent 25 % de protéines, 54 % de glucides, peu de lipides, des vitamines A, B, C, PP, de la potasse, du phosphore, du calcium, du fer, ainsi que des fibres en quantité importante.

SPAGHETTIS LILI

Pour 4 personnes ❦ Préparation : 8 mn ❦ Cuisson : 10 mn

6 fleurs de magnolia étoilé (*voir* PORTRAITS DE FLEURS *p. 12*) ❀ **500 g de spaghettis** ❀ **120 g de tomates séchées à l'huile** ❀ **1 bouquet de basilic** ❀ **Quelques brins de persil** ❀ **100 g de parmesan râpé** ❀ **2 cuillerées à soupe de gros sel**

CHAUFFEZ 2 litres d'eau et le sel dans une grande casserole. Lorsque l'eau bout, plongez-y les spaghettis. Mélangez-les avec une fourchette pour éviter qu'ils ne collent et faites-les cuire pendant 10 minutes environ.

COUPEZ les tomates séchées en morceaux.

LAVEZ LES FLEURS, séchez-les et émincez-les. Rincez et hachez grossièrement le basilic et le persil.

ÉGOUTTEZ les spaghettis et versez-les dans un saladier. Ajoutez la tomate, l'émincé de magnolia et le basilic. Mélangez, saupoudrez de parmesan et de persil, et servez aussitôt.

SEMOULE ET POIS CHICHES
AUX SENTEURS DE PROVENCE

Pour 6 personnes ❦ Préparation : 25 mn ❦ Cuisson : 20 mn

2 rameaux de sarriette en fleur, 2 rameaux d'origan en fleur, 2 rameaux de thym en fleur (*voir* PORTRAITS DE FLEURS *pp.14, 12, 15*) ❈ **100 g de semoule de couscous** ❈ **250 g de pois chiches cuits en conserve** ❈ **1 feuille de laurier** ❈ **1 bouquet de basilic** ❈ **2 carottes** ❈ **1 poivron vert** ❈ **6 tranches de bacon** ❈ **1 noisette de beurre** ❈ **1 cuillerée à soupe d'huile d'olive** ❈ **Sel**

GRATTEZ LES CAROTTES, détaillez-les en rondelles et faites-les cuire dans de l'eau salée avec la feuille de laurier pendant dix minutes. Égouttez-les.

ÉMINCEZ LE BACON. Lavez et émincez le poivron. Chauffez l'huile dans une poêle et faites-y revenir le bacon, puis le poivron. Réservez au chaud.

RINCEZ LES POIS CHICHES à l'eau tiède et égouttez-les. Mouillez la semoule avec un verre d'eau salée, puis faites-la cuire à la vapeur pendant 8 à 10 minutes. Incorporez le beurre en séparant bien les grains à l'aide d'une fourchette.

RINCEZ LE BASILIC et ciselez les feuilles. Lavez la sarriette et l'origan ; hachez finement leurs fleurs et feuilles.

MÉLANGEZ LES POIS CHICHES, le hachis de sarriette et d'origan, le bacon, les rondelles de carotte et le basilic. Disposez la semoule dans un plat, versez au centre les pois chiches et décorez de fleurs de thym.

Pour faire sécher des fleurs, procurez-vous des spécimens, cueillis le matin. Tapissez de papier une petite table et placez-la dans un endroit bien ventilé. Disposez les fleurs à plat sur le papier et laissez-les sécher pendant plusieurs jours. Détachez les pétales et conservez-les dans un récipient hermétique.

Mayonnaise à la mauve

Pour 1 grand bol ❦ Préparation : 10 mn ❦ Réfrigération : 1 h

5 fleurs de mauve (*voir* Portraits de fleurs *p. 12*) ❀ **3 brins de ciboulette** ❀ **1 jaune d'œuf** ❀ **1 cuillerée à café de moutarde à l'ancienne** ❀ **25 cl d'huile d'olive vierge extra** ❀ **Sel, poivre gris**

Dans un grand bol, mélangez le jaune d'œuf et la moutarde. Ajoutez l'huile progressivement, sans cesser de battre (au fouet ou au batteur électrique), jusqu'à obtenir une mayonnaise à la consistance bien ferme.

Lavez les fleurs et la ciboulette ; épongez-les et hachez-les. Incorporez-les dans la mayonnaise, salez et poivrez.

Placez au réfrigérateur, environ 1 heure avant de servir, cette mayonnaise qui sera parfaite pour accompagner des petits légumes crus, des asperges ou encore du poisson froid.

Vous pouvez utiliser de nombreuses fleurs pour aromatiser la mayonnaise : bourrache, œillet d'Inde, dahlia, bégonia, acacia, pensée, chrysanthème, fleur de pois, tournesol, rose...

La mayonnaise doit son nom à l'ancien français « moyeu », qui désignait le jaune d'œuf. Elle s'est également appelée bayonnaise, mahonnaise, maillonnaise...

Sauce moutarde à la violette

Pour 1 grand bol ❦ Préparation : 10 mn

1 petit bouquet de violettes parfumées (*voir* Portraits de fleurs *p. 15*) ❦ 1 cuillerée à soupe rase de moutarde au vin blanc ❦ 1 yaourt ❦ 2 cuillerées à soupe de crème fraîche ❦ 1 petit oignon blanc ❦ Sel, poivre gris

Lavez les violettes et épongez-les ; détachez les pétales, réservez-en quelques-uns pour la décoration et hachez finement le reste avec quelques feuilles. Pelez l'oignon et émincez-le.

Dans un grand bol, mélangez le yaourt, la crème fraîche, l'oignon, le hachis de violettes et la moutarde. Salez et poivrez. Décorez avec les pétales réservés.

La violette peut être consommée de multiples façons : en marmelade, séchée, en sirop, confite, cristallisée au sucre, dans des gâteaux, des glaces et sorbets, des entremets, des salades (de haricots d'Espagne, par exemple), avec des fraises des bois ou encore macérée dans du champagne.

VINAIGRE DE PALMYRE

Pour 1 l 🍶 Préparation : 25 mn

1 fleur de tulipe parfumée, 6 fleurs de primevère acaule, 1 fleur de jonquille trompette, 1 branche d'origan en fleur, 1 branche de thym en fleur (*voir* PORTRAITS DE FLEURS *pp. 14, 13, 12, 12, 15*) ❀ 3 petits oignons blancs ❀ 1 branche d'estragon ❀ 2 clous de girofle ❀ 5 grains de poivre rose ❀ 1 l de vinaigre de cidre ❀ 1 cuillerée à café de sel

PELEZ LES OIGNONS. Lavez les fleurs et détachez-les de leur tige. Coupez les pétales de tulipe en lamelles.

INTRODUISEZ DANS UNE BOUTEILLE les aromates, les oignons, les épices, les fleurs et le sel, puis versez le vinaigre. Fermez la bouteille hermétiquement et laissez vieillir la préparation à l'abri de la lumière pendant deux mois au moins. Filtrez le vinaigre avant utilisation.

Palmyre, est le nom d'une ville-oasis de Syrie. Carrefour du commerce oriental au Ier siècle, avec la reine Zénobie, elle devint la capitale d'un État contrôlant une partie de l'Asie Mineure. Elle fut ravagée par l'empereur Aurélien en 273 et de nouveau dévastée par les Arabes en 634. Vestiges grecs et romains témoignent des cultures qui ont marqué son histoire.

Vinaigre de Georgette

Pour 1 l ✿ Préparation : 12 mn

2 petites roses parfumées, 2 fleurs de souci, 1 inflorescence et 1 rameau de fenouil, 1 œillet de fleuriste (*voir* Portraits de fleurs *p. 14, 9, 11, 11*) ✿ 50 cl de vin blanc sec ✿ 50 cl de vinaigre blanc ✿ 2 petites échalotes ✿ 1 capsule de filaments de safran ✿ 4 grains de poivre noir

Dans une casserole, faites bouillir le vinaigre avec le vin blanc, puis laissez refroidir.

Lavez les roses, les fleurs de souci, le fenouil et l'œillet, puis séchez-les soigneusement. Introduisez-les dans un grand bocal fermant hermétiquement. Ajoutez les échalotes pelées, le poivre et le safran.

Versez le mélange de vinaigre et de vin blanc dans le bocal, et fermez hermétiquement. Laissez macérer la préparation pendant 3 mois, puis filtrez-la et mettez-la en bouteille.

On développe l'acidité du vin en le mélangeant à du vinaigre ou bien en lui ajoutant des feuilles de vigne, des inflorescences de sureau ou des pétales de rose. Le temps de macération doit être suffisamment long pour que le vinaigre soit bon.

Bonnes adresses

Les fleurs comestibles présentées dans cet ouvrage poussent sous nos climats, sauvages (montagnes, prairies, bords des chemins, berges, talus, friches, forêts, sous-bois...) ou cultivées (jardins, champs...). Vous les trouverez donc dans la nature ou vous pourrez les planter dans votre jardin ou sur votre balcon. Certaines espèces cultivées sont commercialisées. Elles sont vendues en pot dans les jardineries, en barquette ou en sachet sur les marchés, dans les grandes surfaces, dans les boutiques spécialisées ou les épiceries fines. Quelques-unes sont également disponibles, séchées, dans les pharmacies et herboristeries. Vous trouverez ci-dessous une liste de bonnes adresses qui vous permettront de faire vos achats en toute sérénité.

❀ Les rayons frais
DES GRANDES SURFACES
(fleurs comestibles fraîches
en barquette)

❀ Établissements Butet
(fleurs comestibles fraîches
en barquette)
32, rue Angers
94150 Rungis
Tél. : 01 41 73 29 70

❀ Épiceries fines
DES GRANDS MAGASINS
(limonades, alcools, sirops, miels,
confiseries, moutarde...)

❀ Herboristes · Pharmaciens

❀ Ferme de Gally
(fleurs séchées, sirops de fleurs,
essences florales)
78210 Saint-Cyr-l'École
Tél. : 01 34 60 63 30

❀ Épicerie Goumanyat
ET SON ROYAUME
(produits à base de fleurs)
7, rue de La Michodière
75002 Paris
Tél. : 01 42 68 09 71

❀ Au nom de la rose
(essences florales)
46, rue du Bac
75007 Paris
Tél. : 01 42 22 22 12

❀ Philo et Capucine
(produits à base de fleurs)
18, avenue du Maréchal-
de-Lattre-de-Tassigny
La Hume
33470 Gujan-Mestras
Tél. : 05 57 73 09 85

❀ FIAP Jean Monnet
(Foyer international d'accueil
de Paris, pour apprendre
à connaître les vertus des
essences florales contemporaines)
30, rue Cabanis
75014 Paris
Tél. : 01 43 13 17 17
ou 01 43 13 17 00

❀ Antoine et Lili
(produits à base de fleurs)
95, quai de Valmy
75010 Paris
Tél. : 01 40 37 34 86

❀ La Dame du cabanon
(sirops et limonades, thés
et biscuits aux fleurs)
34, rue Franklin
69002 Lyon
Tél. : 04 78 38 05 82

FLEURS NON COMESTIBLES

Aconit napel
Aconitum napellus

Actée en épi
ou Herbe de Saint-Christophe
Actœa spicata

Adonis d'été
ou Goutte de sang
Adonis œstivalis

Anagyre fétide *ou* Bois Puant
Anagyris foetida

Ancolie
Aquilegia vulgaris

Anémone des bois
Anemone nemorosa

Arisarum
Arisarum vulgare

Aristoloche
Aristolochia Clematitis

Arnica
Arnica montana

Arum tacheté
Arum maculatum

Belladone
Atropa Belladonna

Bourdaine
Rhamnus Frangula

Bryone *ou* Navet du diable
Bryonia dioica

Chardon à glu
Atractylis gummifera

Calla des marais
Calla palustris

Chélidoine *ou*
Herbe aux verrues *ou* Éclaire
Chelidonium majus

Chèvrefeuille des haies
Lonicera Xylosteum

Ciguë vireuse aquatique
Conium virosa

Petite ciguë
Æthusa Cynapsium

Grande ciguë
Conium maculatum

Clématite des haies
Clematis Vitalba

Colchique
Colchicum autumnale

Cornouiller sanguin
Cornus sanguinea

Coronille
Coronilla varia

Corroyère *ou* Redoul
Coriaria myrtifolia

Corydale digitée
Corydalis solida

Cyclamen *ou*
Pain de Pourceaux
Cyclamen europœum

Cytise *ou* Aubour
Cytisus Laburnum

Daphné *ou* Bois gentil,
Morillon
Daphne Mezereum

Datura
Datura Stramonium

Dauphinelle, Consoude
ou Pied d'alouette
Delphinium Consolida

Digitale pourpre
Digitalis purpurea

Euphorbe
Euphorbia

Faux narcisse
Narcissus Pseudo-Narcissus

Fritillaire *ou* Pintade
Fritillaria Meleagris

Fusain *ou* Bonnet d'Évêque,
Bonnet de prêtre, Bois carré
Euonymus europœus

Genêt d'Espagne
Spartium junceum

Giroflée jaune
Cheiranthus Cheiri

Globulaire
Globularia Alypum

Gratiole
Gratiola officinalis

Gui
Viscum album

Héliotrope
Heliotropium europœum

Hellébore
ou Pied de griffon
Helleborus foetidus

Houx
Ilex Aquifolium

Iris des marais *ou* Iris jaune
Iris Pseudacorus

Laurier du Portugal
Prunus lusitanica

Laurier rose *ou* Oléandre
Nerium Oleander

Lierre
Hedera Helix

Lupin
Lupinus angustifolius

Maïenthème
Maianthemum bifolium

Morelle douce-amère
Solanum Dulcamara

Mouron des champs
Anagalllis arvensis

Muflier
Antirrhinum Majus

Muguet
Convallaria majalis

Nerprun cathartique
Rhamnus cathartica

Nielle des blés
Agrostemma Githago

Nivéole-Perce-Neige
Leucoium vernum

Œnanthe safranée
ou Pensacre
œnanthe crotaca

Ornithogale
Ornithogalum umbellatum

Pancracis maritime
Pancratium maritimum

Parisette
Paris quadrifolia

Pédiculaire
Pedicularis

Perce-neige
Galanthus nivalis

Pulsatille *ou*
Anémone pulsatille,
Anemone Pulsatilla

Renoncule *ou* Bouton d'or
Ranunculus acris

Rhododendron
Rhododendron ferrugineum

Ricin *ou* Palma Christi
Ricinus communis

Sceau de Salomon
Polygonatum officinale

Scille maritime
Urginea maritima

Séneçon commun
Senecio vulgaris

Sureau yèble *ou* Petit sureau
Sambucus Ebulus

Troène d'Europe
Ligustrum vulgare

Trolle *ou* Boule d'or
Trollius europœus

Vélar
Erysimum cheiranthoides

Vératre blanc
Veratrum album

INDEX DES RECETTES

REMERCIEMENTS

❦ ❦

ATELIER N'O 21, rue Daumesnil, 75012 Paris

BLANC D'IVOIRE 104, rue du Bac, 75006 Paris

CASA 50, rue de Passy, 75016 Paris

COMPAGNIE FRANÇAISE DE L'ORIENT ET DE LA CHINE 167, boulevard Saint-Germain, 75006 Paris

CONSTANCE MAUPIN, ART DE LA TABLE, DÉCOR DE LA MAISON 11, rue du Docteur- Goujon, 75012 Paris

LE COUTELIER DE LAGUIOLE 13, rue Abel, 75012 Paris

CRÉATIONS MATHIAS 117, rue de Charenton, 75012 Paris

FRAGONARD 196, boulevard Saint-Germain, 75007 Paris

L'ÎLE DE LA TORTUE 3, rue Guichard, 75116 Paris

LE JARDIN D'OLARIA 5, rue de Médicis, 75006 Paris

LALIQUE 11, rue Royale, 75008 Paris

JEAN CLARENCE LAMBERT

MICHÈLE ET JEAN-CLAUDE LAMONTAGNE,
photos carotte sauvage (p.11), pourpier (p.13) et genêt (p. 11)

LEGRAND FILLES ET FILS 1, rue de la Banque, 75002 Paris

LA MAISON COLONIALE 94, avenue du Maine, 75014 Paris

LA MAISON IVRE 38, rue Jacob, 75006 Paris

MAISON THUILLIER 8, place Saint-Sulpice, 75006 Paris

MAT-FLOR 182, avenue des Pépinières, BP 500, 94648 Rungis Cedex

MIS EN DEMEURE 27, rue du Cherche-Midi, 75006 Paris

MUJI, Caroussel du Louvre, 99, rue de Rivoli, 75001 Paris

OLARIA 30, rue Jacob, 75006 Paris

LES OLIVADES 1, rue de Tournon, 75006 Paris

LES OLIVADES 21, avenue Niel, 75017 Paris

PALAIS ROYAL 13, rue des Quatre-Vents, 75006 Paris

NICOLE PHILIPPE

QUIMPER FAÏENCE 84, rue Saint-Martin, 75004 Paris

SAILLARD 8, rue de Richelieu, 75001 Paris

SIÈCLE 24, rue du Bac, 75007 Paris

❦ ❦